夜ながめて朝テストドリルの特長

一生モノの学[illegible]つく！

☑ 夜と朝の脳に合った学習ができる！

夜は睡眠により記憶が定着しやすく、朝は脳が最もはたらくといわれています。このドリルでは、夜と朝それぞれの時間帯の脳のはたらきに合わせた学習法で効率よく学習できます。

☑ 一回一ページで無理なく続けられる！

「夜は表のイラストをながめて学ぶ・朝は裏の問題を解く」という無理のない量で構成されているので、負担を感じることなく、楽しくやりきることができます。

☑ テストのページで理解度を確認できる！

夜・朝のページだけでなく、テストのページも収録しています。夜・朝のページで学んだことの理解度を確認することができます。

夜ながめて朝テストドリルの使い方

1 寝る前に夜のページ（表）をながめる。

夜、寝る前は記憶のゴールデンタイムといわれています。楽しいイラストをながめながら、漢字について学びましょう。一枚ずつはがして使うこともできます。

2 ぐっすり眠る。

脳は、寝ている間に記憶を整理します。ぐっすり眠って、学習した内容を定着させましょう。

3 起きたら、朝のページ（裏）の問題を解く。

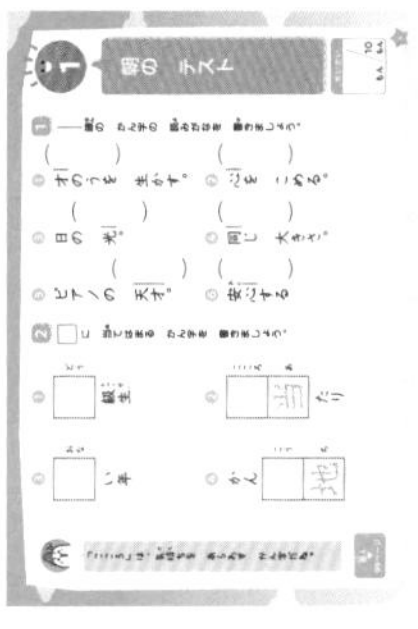

朝は脳が最も活発にはたらく時間帯です。前の日の夜に学んだことを思い出しながら、問題を解きましょう。解き終わったら、おうちの方に答え合わせをしてもらいましょう。

1 才・心・光・同

ながめて おぼえよう

才（3かく）
はねる
おん：サイ
くん：—
一 十 才

心（4かく）
とめる　はねる
おん：シン
くん：こころ
心の書き順（4画）

光（6かく）
はねる　はらう
おん：コウ
くん：ひかる　ひかり
光の書き順（6画）

同（6かく）
はねる　とめる
おん：ドウ
くん：おなじ
同の書き順（6画）

「光（ひかり）」と「光（ひか）る」の 読（よ）み分（わ）けに 気を つけようね。

1 朝の テスト

せいかい　　／10もん　もん

1 ——線の かん字の 読みがなを 書きましょう。

① 才のうを 生かす。（　　）
② 心を こめる。（　　）
③ 日の 光。（　　）
④ 同じ 大きさ。（　　）
⑤ ピアノの 天才。（　　）
⑥ 安心する（　　）

2 □に 当てはまる かん字を 書きましょう。

① □（どう）級生（きゅうせい）
② □（こころ）当（あ）たり
③ □（おな）い年
④ かん□（こう）地（ち）

「こころ」は、気持ちを あらわす かん字だね。

答え▶99ページ

2

刀・弓・矢・台

ながめて おぼえよう

刀（つき出さない・はねる）
おん：トウ
くん：かたな
2かく：フ刀

弓（一かくでかく・はねる）
おん：（キュウ）
くん：ゆみ
3かく：¬コ弓

矢（つき出さない・ながく）
おん：（シ）
くん：や
5かく：ノ𠂉𠂉矢矢

台（とめる）
おん：ダイ タイ
くん：—
5かく：ㄥム𠫓台台

「台」は、「ダイ」と「タイ」の　二つの　読み方が　あるね。

2 朝の テスト

せいかい
もん／10もん

1 ——線の かん字の 読みがなを 書きましょう。

① 刀を かまえる。（　　）

② 弓を 引く。（　　）

③ 矢を いる。（　　）

④ 台風が 来る。（　　）

⑤ 名刀を 作る。（　　）

⑥ 三台の 車。（　　）

2 □に 当てはまる かん字を 書きましょう。

① ゆみ や □□

② こ がたな □□

③ ど だい □□

④ だい 所 □

「かたな」は、「力」（ちから）と にて いるから ちゅういだよ。

答え ▼ 99ページ

3

ながめて おぼえよう

門・戸・用・何

門
8かく
丨 𠃌 ㇆ 門 (筆順: 丨 冂 冂 門 門 門 門 門)
とめる・はねる
おん: モン
くん: (かど)

戸
4かく
一 ㇇ 戸 戸 戸
とめる・はらう
おん: コ
くん: と

用
5かく
丿 刀 月 月 用
はねる・つき出す
おん: ヨウ
くん: もちいる

何
7かく
丿 亻 仁 仃 何 何 何
とめる・はねる
おん: (カ)
くん: なに、なん

何を して あそぶ ことに なったのかな？

3 朝の テスト

せいかい　もん ／ 10もん

1 ――線の かん字の 読みがなを 書きましょう。

① 戸を あける。（　　）
② 門を くぐる。（　　）
③ 今 何時か 聞く。（　　）（　　）
④ 火の用心（　　）
⑤ 道具を 用いる。（　　）
⑥ 一戸だての 家。（　　）

＊一戸だて…一つの 土地に 一つの 家が たって いる こと。

2 □に 当てはまる かん字を 書きましょう。

① せん［もん］［家（か）］
② ［あま］［ど］
③ ［画（が）］［よう］［紙（し）］
④ ［なに］を して あそぼう。

「もん」は、書く じゅん番に 気を つけよう。

答え ▼ 99ページ

4 万・方・元・友

ながめて
おぼえよう

万（はらう・はねる）
3かく：一 丆 万
くん：—
おん：マン（バン）

方（はらう・はねる）
4かく：丶 亠 亐 方
くん：かた
おん：ホウ

元（はらう・はねる）
4かく：一 二 テ 元
くん：もと
おん：ゲン ガン

友（はらう）
4かく：一 ナ 方 友
くん：とも
おん：ユウ

一・十・百・千・「万」って、数(かぞ)えるね。

4 朝の テスト

せいかい　もん／10もん

1 ――線(せん)の かん字の 読(よ)みがなを 書(か)きましょう。

① 一万円さつ（　　）

② 友だちに 会(あ)う。（　　）

③ 元気を 出す。（　　）

④ 右の 方向(こう)。（　　）

⑤ 親(しん)友に なる。（　　）

⑥ 火の元に ちゅうい。（　　）

2 □に 当(あ)てはまる かん字を 書きましょう。

① □□□（ひゃく まん えん）

② 南(みなみ)の □角（ほう がく）。

③ 地□（じ もと）の □□（ゆう じん）。

「まん」と、「ほう」は、形(かたち)が にて いるから ちゅういだよ。

答(こた)え▶99ページ

5 多・少・太・細

ながめて おぼえよう

多（はらう）
おん：タ
くん：おおい
6かく：ノ ク タ 多 多 多

少（はねる・はらう）
おん：ショウ
くん：すくない　すこし
4かく：亅 小 小 少

太（わすれない）
おん：タイ　タ
くん：ふとい　ふとる
4かく：一 ナ 大 太

細（とめる）
おん：サイ
くん：ほそい　ほそる　こまか　こまかい
11かく：く 幺 幺 糸 糸 糸 糸 糸 細 細 細

はんたいの いみを あらわす かん字だね。

5 朝の テスト

せいかい　もん／10もん

1 ――線の かん字の 読みがなを 書きましょう。

① 少年（　　）と 犬。
② 太陽（　　）の 光。
③ 数が 多（　　）い。
④ 人が 少（　　）ない。
⑤ 細（　　）い 木。
⑥ 太（　　）い ふで。

2 □に 当てはまる かん字を 書きましょう。

① □（ほそ）道（みち）
② 丸（まる）□（た）を 切る。
③ □（こま）かい がら。
④ □（た）□（しょう）の ちがい。

＊たしょう…すこし。

「おおい」と「すくない」、「ふとい」と「ほそい」は、組みに なる ことばだね。

答え ▼ 99ページ

6

外・内・前・後

ながめて おぼえよう

	外
字	外（つき出さない・とめる）
おん	ガイ（ゲ）
くん	そと　ほか　はずす　はずれる
5かく	ノ ク タ 夕 外

	内
字	内（つき出す・とめる）
おん	ナイ（ダイ）
くん	うち
4かく	丨 冂 内 内

	前
字	前（とめる・はねる）
おん	ゼン
くん	まえ
9かく	丶 丷 䒑 产 前 前 前 前 前

	後
字	後（とめる・はらう）
おん	ゴ　コウ
くん	のち　うしろ　あと　（おくれる）
9かく	ノ 彳 彳 彳 彳 径 後 後 後

「外と内」「前と後」は、組みに　して　おぼえると　いい　かん字だよ。

6 朝の テスト

せいかい　／11もん

1 ――線の かん字の 読みがなを 書きましょう。

① 内がわと（　　）外がわ。（　　）
② 外国に（　　）行く。
③ せきの 前後。（　　）
④ 後回しに（　　）する。
⑤ 夕食の 前。（　　）
⑥ 思いの外の（　　）できごと。
＊思いの外…考えて いた こととは ちがって。

2 □に 当てはまる かん字を 書きましょう。

① □□（まち はず）れ
② あん□（ない）する
③ □国□（がい こく じん）
④ くもり□（のち）晴れ。

「そと」と「うち」、「まえ」と「あと」は、はんたいの いみだね。

答え▼99ページ

7 東・西・南・北

ながめて おぼえよう

東（8かく）
つき出す　とめる
おん：トウ
くん：ひがし
一 ｢ 币 百 亘 申 東 東

西（6かく）
つき出さない　はらう
おん：セイ　サイ
くん：にし
一 ｢ 冂 丙 西 西

南（9かく）
はねる　つき出さない
おん：ナン　（ナ）
くん：みなみ
一 十 ｢ 内 内 内 南 南 南

北（5かく）
つき出さない　はねる
おん：ホク
くん：きた
｜ ｨ ｲ ｲ' 北

東西南北（とうざいなんぼく）の　読（よ）み方（かた）も　あるよ。

7 朝の テスト

せいかい　　/10 もん

1 ―線の かん字の 読みがなを 書きましょう。

① 東に ある 森。（　　）
② 西に ある みずうみ。（　　）
③ 南に 海が ある。（　　）
④ 北に ある 山。（　　）
⑤ 東北地方（　　）
⑥ 南北に 走る 道。（　　）

2 □に 当てはまる かん字を 書きましょう。

① とう きょう □京
② アメリカの せい □部。
③ なん ごく □国の 鳥。
④ とう ざい なん ぼく □□□□

「方角」を あらわす かん字を おぼえたね。

答え▼99ページ

8 ふくしゅうテスト①

せいかい
もん / 3 も

1 ——線の　かん字の　読みがなを　書きましょう。

① 東西に　走る　電車。
② 南北を　むすぶ　道路。
③ 親友に　話す。
④ 話題の　中心。
⑤ 弓矢を　おく　台。
⑥ 同じ　方向に　すすむ。

2 ——線の　かん字の　読みがなを　書きましょう。

① 元気　元日　足元
② 海外　外がわ　町外れ　思いの外

3 □に当(あ)てはまる　かん字を　書(か)きましょう。

1 □（きた）　□（みなみ）

2 □（ひがし）　□（にし）

3 □（ほそ）い ⇔ □（ふと）い

4 □（すく）ない ⇔ □（おお）い

5 □（まえ） ⇔ □（うし）ろ

6 □（うち） ⇔ □（そと）

4 ――線(せん)の　ことばを、かん字と　ひらがなで　書きましょう。

1 星(ほし)が　ひかる。（　　）

2 道具(どうぐ)を　もちいる。（　　）

3 もようが　こまかい。（　　）

4 おなじ　チームに　入る。（　　）

答(こた)え ▼ 100ページ

9

知・合・思・考

ながめて おぼえよう

知

8かく

ノ ㇒ 𠂉 ⺧ 矢 矢 知 知 知

つき出さない　とめる

おん　チ

くん　しる

合

6かく

ノ 人 亼 亽 合 合

つける　わすれない

おん　ゴウ　ガッ　カッ

くん　あう　あわす　あわせる

思

9かく

丨 冂 冂 田 田 田 思 思 思

とめる　はねる

おん　シ

くん　おもう

考

6かく

一 十 土 耂 耂 考

右上から左下へはらう　はねる

おん　コウ

くん　かんがえる

カレーを　作った　こと　あるかな？

9 朝の テスト

せいかい　　もん／11もん

1 ――線の かん字の 読みがなを 書きましょう。

① ゆたかな 知しき。（　　）

② 物知りの 兄。（　　）

③ カレーに 合う サラダ。（　　）

④ 集合する（　　）

⑤ いい 考えを 思いつく。（　　）（　　）

⑥ 思考力（　　）

2 □に 当てはまる かん字を 書きましょう。

① □（し）り□（あ）い

② □（がっ）宿

③ さん□（こう）書（しょ）

④ □（おも）いやり

「思考力」は、かんがえる 力（ちから）の ことだよ。

答え▼100ページ

10 切・引・止・言

ながめて おぼえよう

切（つき出さない・とめる）
4かく　一 七 切 切
おん：セツ（サイ）
くん：きる・きれる

引（「弓」とおなじながさに・はねる）
4かく　ᄀ コ 弓 引
おん：イン
くん：ひく・ひける

止（ながく・出す）
4かく　丨 卜 屮 止
おん：シ
くん：とまる・とめる

言（てん・みじかく）
7かく　丶 亠 亠 亖 言 言 言
おん：ゲン・ゴン
くん：いう・こと

体育（たいいく）と　図画工作（ずがこうさく）の　時間（じかん）かな？

10 朝の　テスト

せいかい　もん／10もん

1 ――線(せん)の　かん字の　読(よ)みがなを　書(か)きましょう。

① 雨で　中止に　なる。（　　）

② 言葉(ば)を　かける。（　　）

③ 線を　引く。（　　）

④ 紙(かみ)を　切る。（　　）

⑤ せん手の　引たい。（　　）

⑥ 大切な　やくそく。（　　）

2 □に　当(あ)てはまる　かん字を　書きましょう。

① □□（くち　ど）め

② □（い）いわけ

③ 親□（しん　せつ）

④ □（ひ）き算（ざん）

「切る」「引く」などは、うごきを　あらわす　ことばだね。

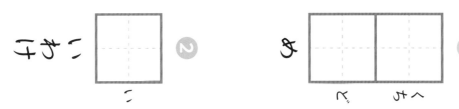

答(こた)え▼100ページ

11

米・麦・肉・魚

ながめて おぼえよう

米

とめる　はらう

おん　ベイ　マイ

くん　こめ

6かく　丶 丷 䒑 半 米 米

麦

ながく　はらう

おん　（バク）

くん　むぎ

7かく　一 十 キ 主 声 麦 麦

肉

つき出す　とめる

おん　ニク

くん　—

6かく　丨 冂 内 内 肉 肉

魚

はらう　むきにちゅうい

おん　ギョ

くん　うお　さかな

11かく　ノ ク 𠂊 各 备 角 角 鱼 魚 魚 魚

どれも　おいしそうだね。

11 朝の テスト

せいかい　もん／10もん

1 ――線の かん字の 読みがなを 書きましょう。

① 小麦の パン。（　　）
② 新米の おにぎり。（　　）
③ 牛肉を やく。（　　）
④ やき魚を 食べる。（　　）
⑤ 米作が さかんだ。（　　）
⑥ 魚かいるいの パスタ。（　　）

2 □に 当てはまる かん字を 書きましょう。

① □（むぎ）畑
② きん□（にく）を きたえる。
③ □□（きんぎょ）
④ お□（こめ）を たく。

「米作」は、米を 作ることだよ。

答え ▼ 100ページ

12 牛・馬・鳥・羽

ながめて おぼえよう

牛
はらう　つき出す

くん：うし　おん：ギュウ

4かく：ノ 𠂉 ⺧ 牛

馬
はじめにかく　はねる

くん：うま　おん：バ

10かく：…… 馬 馬 馬 馬 馬

鳥
ながく　はねる

くん：とり　おん：チョウ

11かく：…… 鳥 鳥 鳥 鳥

羽
上にむけてはらう　はねる

くん：はね、は　おん：（ウ）

6かく：…… 羽 羽 羽

ぼく場(じょう)の ようすだね。

12 朝の テスト

せいかい　　もん／10もん

1 ＿線の かん字の 読みがなを 書きましょう。

① 鳥が 空を とぶ。（　　）

② 馬が 走る。（　　）

③ 牛が 鳴く。（　　）

④ 羽を 広げる。（　　）

⑤ 牛にゅうを のむ。（　　）

⑥ 馬車に のる。（　　）

2 □に 当てはまる かん字を 書きましょう。

① □（うし）小屋

② □□（はご）板

③ 野□（や ちょう）の 声。

④ ぐん□（ま）県

「牛」の さいごの たてぼうは、つきぬけてね。

答え▼100ページ

13 時・間・分・半

ながめて おぼえよう

時（はねる）
10かく
おん：ジ
くん：とき
筆順：丨 冂 日 日 日一 日十 日土 時 時 時

間（はねる・とめる）
12かく
おん：カン ケン
くん：あいだ ま
筆順：丨 冂 冂 尸 尸 門 門 門 門 問 間 間

分（あける・つき出さない）
4かく
おん：ブン フン ブ
くん：わける わかれる わかる わかつ
筆順：ノ 八 分 分

半（つき出す・ながく）
5かく
おん：ハン
くん：なかば
筆順：丶 丷 丷 兰 半

家族旅行、楽しそうだね。

13 朝のテスト

せいかい　もん／11もん

1 ━━線の　かん字の　読みがなを　書きましょう。

① 出発の　時こく。（　）（　）

② 夏休みの　半ば。（　）（　）

③ 七時二十分（　）（　）

④ 半分に　分ける。（　）（　）

⑤ 雲の　間から　見える　月。（　）

2 □に　当てはまる　かん字を　書きましょう。

① 広い　［くう］［かん］。

② 朝の　［ひと］［とき］。

③ ［ろく］［じ］［はん］

④ ［すい］［ぶん］を　とる。

「じかん」を　あらわす　ことが　できたかな。

答え▼100ページ

14 午・毎・曜・週

ながめて おぼえよう

午
つき出さない / ながく

おん: ゴ
くん: —

4かく: ノ 𠂉 𠂉 午

毎
はらう / はねる

おん: マイ
くん: —

6かく: ノ 𠂉 𠂉 毎 毎 毎

曜
つき出ない / とめる

おん: ヨウ
くん: —

18かく: 丨 П 日 日 日 日 日 日 日 日 日 日 日 日 曜 曜 曜 曜

週
一かくでかく / はねる

おん: シュウ
くん: —

11かく: 丿 冂 月 円 円 周 周 周 周 調 週

お昼（ひる）の 十二時（じゅうにじ）が、「正午」だよ。

14 朝の テスト

せいかい　　もん／11もん

1 ――線の かん字の 読みがなを 書きましょう。

① 午前中の さん歩。（　　）
② 正午の かね。（　　）
③ 今週の よてい。（　　）
④ 毎週、土曜日。（　　）（　　）
⑤ 午後から 出かける。（　　）
⑥ 先週の できごと。（　　）

2 □に 当てはまる かん字を 書きましょう。

① にち よう び □□□
② ご ぜん □□
③ ご ご □□
④ いっ しゅう かん □□□

「いっしゅうかん」の「ようび」、かん字で書けるように なったかな？

答え ▼ 100ページ

15 今・朝・昼・夜

ながめて おぼえよう

今（つける）
4かく：ノ 人 𠆢 今
おん：コン（キン）
くん：いま

朝（はねる）
12かく：一 十 𠀋 古 吉 直 卓 𠦝 朝 朝 朝 朝
おん：チョウ
くん：あさ

昼（つける・ながく）
9かく：フ コ 尸 尺 尺 昼 昼 昼 昼
おん：チュウ
くん：ひる

夜（立てる・はらう）
8かく：丶 亠 广 广 疒 夜 夜 夜
おん：ヤ
くん：よ・よる

クリスマス・パーティー、楽しそうだね。

15 朝のテスト

せいかい　／10もん

1 ――線のかん字の読みがなを書きましょう。

① 夜になる。（　）

② 早朝に出かける。（　）

③ 朝ごはんを食べる。（　）

④ 昼食をとる。（　）

⑤ 今夜の月。（　）

⑥ 今からはじめる。（　）

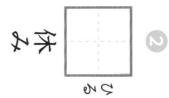

2 □に当てはまるかん字を書きましょう。

① あさひ □□

② ひる □休み

③ こんしゅう □□

④ じゅうごや □□□

「あさ・ひる・よる」は、一日の時間をあらわすね。

答え▼100ページ

16 ふくしゅうテスト②

せいかい　2　もん

1 ――線の　かん字の　読みがなを　書きましょう。

① 月の　引力。（　　）

② 肉食の　どうぶつ。（　　）

③ 麦茶を　のむ。（　　）

④ 子牛が　生まれる。（　　）

⑤ 夜食を　作る。（　　）

⑥ 言葉を　おぼえる。（　　）

2 ――線の　かん字の　読みがなを　書きましょう。

①
- 時間（　　）
- 人間（　　）
- 間がら（　　）
- なか間（　　）

②
- 半分（　　）
- 一時二分（　　）
- 分あつい　本。（　　）
- 引き分け（　　）

3 □に 当(あ)てはまる かん字を 書(か)きましょう。

1. 立ち入りきん□(し)
2. □(たい)□(せつ)な 友(とも)だち。
3. □(ば)□(りき)が ある。
4. □(まい)回(かい) 見る 番組(ばんぐみ)。
5. □(きん)□(よう)□(び)の □(ご)□(ご)。

4 ――線(せん)の ことばを、かん字と ひらがなで 書きましょう。

1. 明日(あす)は 晴(は)れると おもう。（　　）
2. 作文(さくぶん)を かんがえる。（　　）
3. 来月(らいげつ)の なかばに 出かける。（　　）
4. 道(みち)が 二つに わかれる。（　　）

答(こた)え▼100ページ

17 広・明・長・高

ながめて おぼえよう

広

5かく

おん: コウ

くん: ひろい・ひろまる・ひろめる・ひろがる・ひろげる

(立てる・はらう)

明

8かく

おん: メイ・ミョウ

くん: あかり・あかるい・あかるむ・あからむ・あきらか・あける・あく・あくる・あかす

(はらう・はねる)

長

8かく

おん: チョウ

くん: ながい

(ながく・はらう)

高

10かく

おん: コウ

くん: たかい・たか・たかまる・たかめる

(とめる・はねる)

サバンナの ようすだね。

17 朝の テスト

せいかい　　もん／10もん

1 ——線(せん)の かん字の 読(よ)みがなを 書(か)きましょう。

① 広い（　　）草原(そうげん)。

② せが 高い（　　）きりん。

③ はなが 長い（　　）ぞう。

④ 明るい（　　）太陽(たいよう)。

⑤ 身長(しんちょう)が（　　）のびる。

⑥ 発明(はつめい)を（　　）する。

2 □に 当(あ)てはまる かん字を 書きましょう。

① こう ちょう せん せい
□□□□

② ひろ ば
□場

③ たか だい
□□ から 見る。

④ せつ めい
せつ□ する

「明」は、いろいろな 読み方(かた)が あるよ。

答(こた)え▶101ページ

18 国・語・算・数

ながめて おぼえよう

国

わすれない / ながめに

おん	くん
コク	くに

8かく：丨 冂 冂 冂 国 国 国 国

語

てん / ながめに

おん	くん
ゴ	かたる かたらう

14かく：丶 亠 亠 言 言 言 言 訂 訂 語 語 語 語 語

算

はらう / とめる

おん	くん
サン	—

14かく：ノ 𠂉 𥫗 𥫗 竹 竹 竹 竹 筲 笪 笪 算 算 算

数

すこし出す / はらう

おん	くん
スウ（ス）	かず かぞえる

13かく：丶 丷 ⺌ 米 米 米 米 娄 娄 数 数 数 数

国語と 算数、どっちが すきかな？

18 朝の テスト

せいかい　／11 もん

1 ——線の かん字の 読みがなを 書きましょう。

① 国語の 教科書。（　　）

② 算数の 時間。（　　）

③ 雪国で くらす。（　　）

④ えい語の 本。（　　）

⑤ 計算が はやい。（　　）

⑥ 人数を 数える。（　　）（　　）

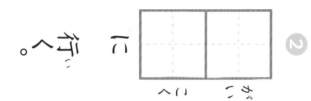

2 □に 当てはまる かん字を 書きましょう。

① 物□（がたり）

② □□（がいこく）に 行く。

③ 足し□（ざん）

④ □□（すうじ）

教科の かん字が 出て きたね。

答え▼101ページ

19 理・科・社・会

ながめて おぼえよう

理（はらう・ながく）
おん：リ
くん：—
11かく：一 丅 王 王 玎 玎 玾 玾 理 理 理

科（とめる・つき出す）
おん：カ
くん：—
9かく：一 二 千 千 禾 禾 禾 科 科

社（てん・とめる）
おん：シャ
くん：やしろ
7かく：、 ラ ネ ネ ネ 社 社

会（つける・とめる）
おん：カイ（エ）
くん：あう
6かく：ノ 人 人 会 会 会

おとなに　なったら、何（なに）に　なりたい？

19 朝の テスト

せいかい　／11もん　もん

1 ―線の かん字の 読みがなを 書きましょう。

① 科学者に なる。（　　）
② 理由を 話す。（　　）
③ 会社の 社長。（　　）（　　）
④ 友だちに 会う。（　　）
⑤ りょう理を 作る。（　　）
⑥ 内科の びょういん。（　　）

2 □に 当てはまる かん字を 書きましょう。

① きょうかしょ（教□書）
② り□想の 人。
③ しんぶんしゃ（新聞□）
④ 広い かいじょう（□場）。

三年生に なると、生活科は 「りか」と 「しゃかい」に なるよ。

答え▼101ページ

20

図・画・工・作

ながめて おぼえよう

図（7かく）
おん：トズ
くん：（はかる）
はらう／とめる
筆順：丨冂冂冈冈図図

画（8かく）
おん：ガカク
くん：―
つき出さない／つける
筆順：一丅万而而画画画

工（3かく）
おん：コウク
くん：―
つき出さない／ながく
筆順：一丅工

作（7かく）
おん：サクサ
くん：つくる
みじかく／とめる
筆順：ノイイ'竹竹作作

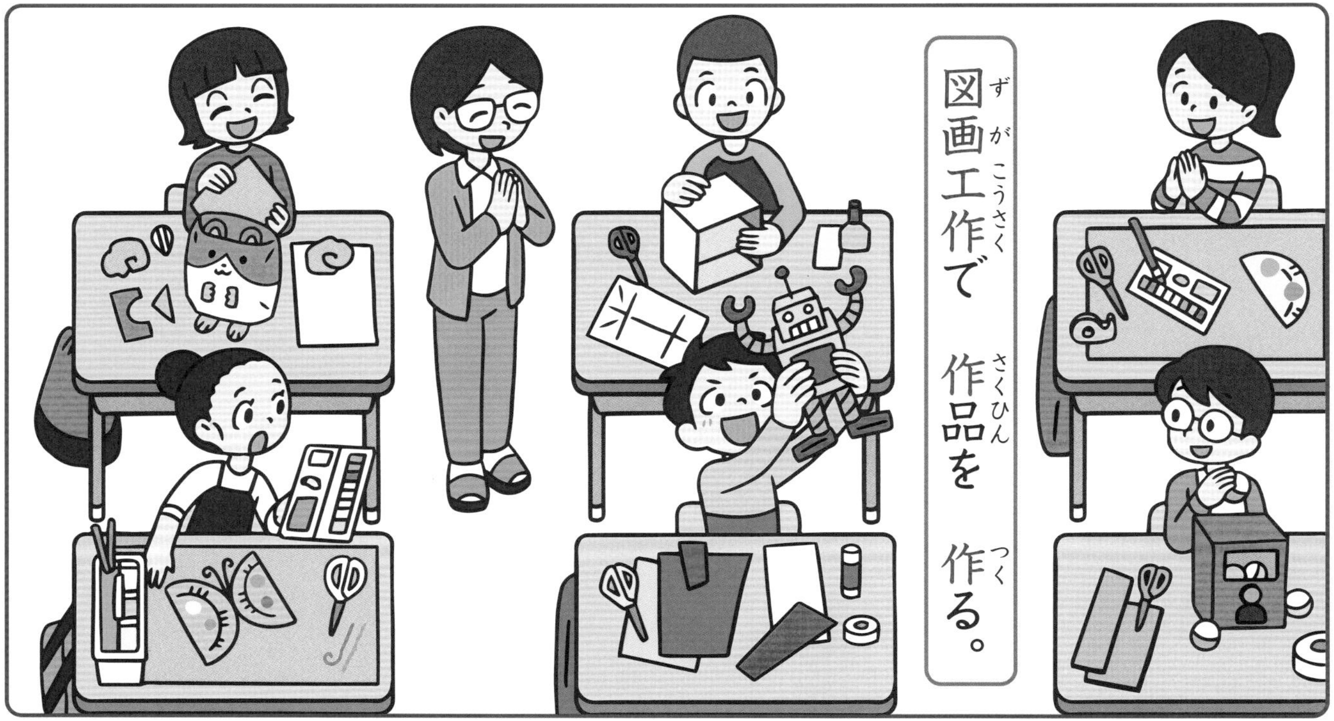

図画工作は　とくいかな？

20 朝の テスト

せいかい　　もん／10もん

1 ――線の かん字の 読みがなを 書きましょう。

① 図画工作（　　　）

② 合図を 出す。（　　　）

③ 画用紙を つかう。（　　　）

④ 道路工事（　　　）

⑤ 手作りクッキー（　　　）

⑥ 工ふうする（　　　）

2 □に 当てはまる かん字を 書きましょう。

① と しょ かん：□書館

② けい かく：計□

③ さく ぶん：□□

④ だい く さん：□□さん

「図」は、口の 中に 「ツメ」が あるね。

答え ▼ 101ページ

21

体・活・楽・声

ながめて おぼえよう

体（わすれない）
おん：タイ（テイ）
くん：からだ
7かく：ノ亻仁什休体体

活（右から左へはらう／つける）
おん：カツ
くん：—
9かく：丶冫氵氵汇汗汗活活

楽（むきにちゅうい／とめる）
おん：ガク ラク
くん：たのしい たのしむ
13かく：丶′亻白白伯泊泊泊泊 泊楽楽楽

声（上よりみじかく／はらう）
おん：セイ（ショウ）
くん：こえ（こわ）
7かく：一十士韦吉韦声

うんどう会 楽しみだね。

朝の テスト

せいかい　　もん／10もん

1 ――線(せん)の かん字の 読(よ)みがなを 書(か)きましょう。

①じゅんび体そう（　　）

②体を ほぐす。（　　）

③楽しみな うんどう会(かい)。（　　）

④大きな 声。（　　）

⑤活やくを する。（　　）

⑥かん声が 上がる。（　　）

2 □に 当(あ)てはまる かん字を 書きましょう。

①おん がく □□

②せい かつ か □□□

③鳥(とり)の らく えん □園。

④たい □ 温(おん)を はかる。

「かん声」は、よろこびの さけび声だよ。

答(こた)え▼101ページ

22 丸・角・点・線

ながめて おぼえよう

丸　3かく
おん：ガン
くん：まる　まるい　まるめる
はらう　はねる
ノ九丸

角　7かく
おん：カク
くん：かど　つの
つき出さない　はねる
ノ⺈⺈户角角角

点　9かく
おん：テン
くん：―
むきにちゅうい
丨⺊⺊占占占点点点

線　15かく
おん：セン
くん：―
とめる　はねる
ㄑ幺幺糸糸糸糸糸糸紵紵紵綿綿線

先生が丸(まる)を　つける。

直線(ちょくせん)で　かこまれる　三角形(さんかくけい)と　四角形(しかくけい)。

百点(ひゃくてん)を　とる。

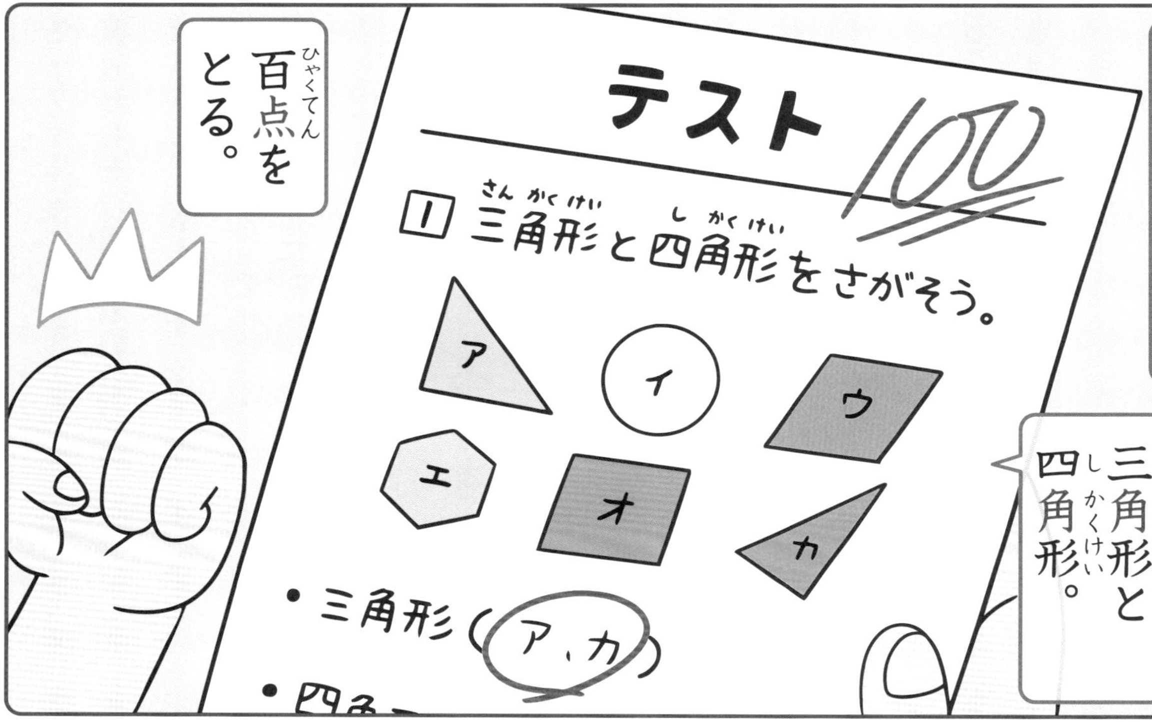

百点まん点、とった　こと　あるかな？

22 朝の テスト

せいかい　　もん／10もん

1 ――線の かん字の 読みがなを 書きましょう。

① 百点を（　　）とった。

② 三角形を（　　）かく。

③ 直線を（　　）引く。

④ 丸を（　　）つける。

⑤ 曲がり角（　　）

⑥ ほう丸なげ（　　）

2 □に 当てはまる かん字を 書きましょう。

① まち かど □□

② まる がお □顔

③ でん せん 電□

④ どう てん □□ に なる。

球体は 「丸い」、たいらな ときは 「円い」って、書くよ。

答え ▼ 101ページ

23 ふくしゅうテスト③

せいかい
もん / 23 もん

1 ――線の　かん字の　読（よ）みがなを　書（か）きましょう。

① 昔話（むかしばなし）の　語り手。（　　）（　　）

② 母（はは）の　手作り。（　　）

③ 内科の　いしゃ。（　　）

④ 全国大会（ぜんこく）（　　）

⑤ 人工の　しま。（　　）

⑥ 点線を　なぞる。（　　）

2 ――線の　かん字の　読みがなを　書きましょう。

①
- せつ明する（　　）
- 明後日（　　）
- 夜明け（　　）

＊明後日…「あさって」の　こと。

②
- 三角（　　）
- 町角（　　）
- 牛（うし）の　角（　　）

3 □に当てはまる　かん字を　書きましょう。

① こく　ご（□□）

② さん　すう（□□）

③ ず　が　こう　さく（□□□□）

④ おん　がく（□□）

⑤ せい　かつ　か（□□□）

⑥ たい（□）育

4 ――線のことばを、かん字と　ひらがなで　書きましょう。

① うわさが　ひろまる。（　　）

② 百まで　かぞえる。（　　）

③ 人気が　たかまる。（　　）

④ 学校は　たのしい。（　　）

⑤ あかるい　せいかく。（　　）

答え▼101ページ

24 当・直・計・組

ながめて おぼえよう

当
つき出さない / まっすぐおろす
- おん：トウ
- くん：あたる　あてる
- 6かく：丨 丷 ⺌ 当 当 当

直
つける
- おん：チョク　ジキ
- くん：ただちに　なおす　なおる
- 8かく：一 十 𠂇 冇 冇 有 直 直

計
てん
- おん：ケイ
- くん：はかる　はからう
- 9かく：丶 亠 亠 亖 言 言 言 言 計

組
つき出す
- おん：ソ
- くん：くむ　くみ
- 11かく：𠃋 幺 幺 糸 糸 糸 糸 紃 紃 組 組

今日(きょう)は　だれが　日直の　当番かな？

24 朝のテスト

せいかい　もん／10もん

1 ——線の かん字の 読みがなを 書きましょう。

① 本当の 話。（　）

② 合計を 出す。（　）

③ なか直りする（　）

④ 車の 仕組み。（　）

⑤ きずの 手当て。（　）

⑥ 日直に なる。（　）

2 □に 当てはまる かん字を 書きましょう。

① きゅう食 □(とう)番(ばん)

② 体重 □(けい)

③ □(しょう)□(じき) な 人。

④ テレビ 番(ばん)□(ぐみ)

「組」は、おくりがなが つく ときも あるよ。

答え▼101ページ

25 父・母・家・親

ながめて おぼえよう

父
あける　とめる

4かく　ノ ハ グ 父

おん：フ
くん：ちち

母
はねる　とめる

5かく　L 口 口 母 母

おん：ボ
くん：はは

家
はねる　はらう

10かく　、 ' 宀 宀 宇 宇 家 家 家 家

おん：カ ケ
くん：いえ　や

親
とめる　はねる

16かく　、 亠 亠 亡 立 立 辛 辛 亲 亲 新 新 新 新 親 親

おん：シン
くん：おや　したしい　したしむ

家族で　バーベキュー、楽（たの）しそうだね。

25 朝のテスト

せいかい　　もん／10もん

1 ──線のかん字の読みがなを書きましょう。

① 父親と　あそぶ。（　　）

② そ母に　会う。（　　）

③ 作家の　おじさん。（　　）

④ 親しい　友だち。（　　）

⑤ 家に　帰る。（　　）

⑥ 両親と　話す。（　　）

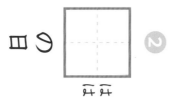

2 □に当てはまるかん字を書きましょう。

① 神□（ぶ）さん

② □（はは）の日

③ □（か）族

④ □□（しんせつ）な人。

「家」は、書きにくいかん字だから たくさん れんしゅうしよう。

答え ▼ 101ページ

26 兄・姉・弟・妹

ながめて おぼえよう

漢字	おん	くん	かく	書きじゅん
兄（はらう・はねる）	キョウ（ケイ）	あに	5かく	丨 口 口 尸 兄
姉（立てる・はねる）	（シ）	あね	8かく	𡿨 夂 女 女' 女亠 女市 姉 姉
弟（つき出さない・はねる）	ダイ（テイ）（デ）	おとうと	7かく	丶 丷 䒑 䒑 弔 弟 弟
妹（はらう・ながく）	（マイ）	いもうと	8かく	𡿨 夂 女 女一 女二 妹 妹 妹

兄弟は いるかな？ なかよく して いる？

26 朝のテスト

せいかい　もん／12もん

1 ──線の　かん字の　読みがなを　書きましょう。

① 兄弟げんか（　　）

② 姉は　絵が　うまい。（　　）

③ 中学生の　兄。（　　）

④ 妹思いの　姉。（　　）（　　）

⑤ 弟と　あそぶ。（　　）

⑥ 兄は　足が　はやい。（　　）

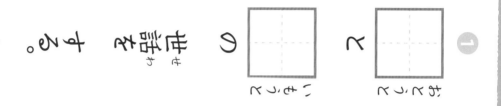

2 □に　当てはまる　かん字を　書きましょう。

① □（おとうと）と□（いもうと）の　世話を　する。

② 三人□□（きょうだい）

③ □（あに）と□（あね）。

「きょうだい」を　あらわす　かん字だね。

答え▼102ページ

春・夏・秋・冬

ながめて おぼえよう

春
つける　ながく
おん：シュン
くん：はる
9かく：一 二 三 声 夫 表 春 春 春

夏
つける　はらう
おん：カ（ゲ）
くん：なつ
10かく：一 丆 丅 百 百 百 育 頁 夏 夏

秋
みじかくはらう　とめる
おん：シュウ
くん：あき
9かく：丿 二 千 千 禾 禾 秒 秒 秋

冬
とめる
おん：トウ
くん：ふゆ
5かく：丿 ク 夂 冬 冬

きせつを あらわす かん字を 読(よ)んで みよう。

27 朝のテスト

せいかい　もん／11もん

1 ――線(せん)の　かん字の　読(よ)みがなを　書(か)きましょう。

① 春分の日（　　　）
② 夏休みが　近(ちか)い。（　　　）
③ 冬山に　のぼる。（　　　）
④ 秋分の日（　　　）
⑤ くまが　冬みんする。（　　　）
⑥ 春一番(いちばん)が　ふく。（　　　）

2 □に　当(あ)てはまる　かん字を　書きましょう。

① しゅん　か　しゅう　とう
□□□□

② はる・なつ・あき・ふゆ
□・□・□・□

きせつの　かん字を　つかって、いろいろな　ことばが　できるね。

答(こた)え ▼ 102ページ

28 行・来・強・弱

ながめて おぼえよう

行（はねる・とめる）

おん：コウ　ギョウ　（アン）

くん：いく　ゆく　おこなう

6かく：丿 彳 彳 行 行 行

来（ながく・とめる）

おん：ライ

くん：くる　（きたる）　（きたす）

7かく：一 ｢ ｢ 立 平 来 来

強（つける・はねる）

おん：キョウ　（ゴウ）

くん：つよい　つよまる　つよめる　（しいる）

11かく：ﾌ ｺ 弓 弘 弘 弘 弘 弘 弘 強 強

弱（むきに ちゅうい・はねる）

おん：ジャク

くん：よわい　よわる　よわまる　よわめる

10かく：ﾌ ｺ 弓 弓 弓 弓 弓 弱 弱 弱

冬の どうぶつ園、行った こと あるかな？

28 朝の テスト

せいかい　もん／10もん

1 ――線の かん字の 読みがなを 書きましょう。

① 行列に ならぶ。（　　）

② 強弱を つける。（　　）

③ 来月の たん生日。（　　）

④ 強気に なる。（　　）

⑤ 弱音を はく。（　　）

⑥ 友だちが 来る。（　　）

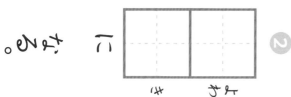

2 □に 当てはまる かん字を 書きましょう。

① 勉□（きょう）する

② □□（よわ き）に なる。

③ 家族旅□（こう）

④ □□（らい にち）スター

「いく」と 「くる」、「つよい」と 「よわい」は、組みに して おぼえよう。

答え ▼ 102ページ

29

公・園・交・番

ながめて おぼえよう

公（あける・とめる）
おん：コウ
くん：（おおやけ）
4かく：ノ 八 公 公

園（とめる）
おん：エン
くん：（その）
13かく：丨 冂 冂 冃 冄 冉 冉 周 周 周 周 園 園

交（あける・とめる）
おん：コウ
くん：まじわる　まじえる　まじる　まざる　まぜる　（かう）（かわす）
6かく：丶 亠 六 六 交 交

番（とめる）
おん：バン
くん：—
12かく：一 ㇀ 丷 平 平 采 采 采 番 番 番 番

家（いえ）の　近（ちか）くに、交番や　公園は　あるかな？

29 朝のテスト

せいかい　　もん／10もん

1 ──線の　かん字の　読(よ)みがなを　書(か)きましょう。

① 交番に　とどける。（　　）

② 森林(しんりん)公園に　行(い)く。（　　）

③ 有名(ゆうめい)な　庭(てい)園。（　　）

④ 公平(へい)に　分(わ)ける。（　　）

⑤ じゅん番を　まつ。（　　）

⑥ 道(みち)が　交わる。（　　）

2 □に　当(あ)てはまる　かん字を　書きましょう。

① こう［　］つう［通］じこ

② そうじ　とう［　］ばん［　］

③ こうし　えん［　］

④ まん画(が)の　主(しゅ)　じん［　］こう［　］。

「公」と「交」は、同(おな)じ　読(よ)み方(かた)が　あるから　気を　つけてね。

答(こた)え ▼ 102ページ

30 寺・里・京・黄

ながめて おぼえよう

寺
ながく／はねる
おん：ジ
くん：てら
6かく：一 十 土 圭 寺 寺

里
つき出さない／ながく
おん：リ
くん：さと
7かく：丨 冂 日 日 甲 甲 里

京
とめる／はねる
おん：キョウ（ケイ）
くん：―
8かく：丶 亠 亣 古 古 亨 亨 京

黄
つき出す／とめる
おん：オウ（コウ）
くん：き（こ）
11かく：一 十 廾 廾 廾 廾 帯 帯 黄 黄 黄

京都には、有名(ゆうめい)な お寺が たくさん あるね。

30 朝のテスト

せいかい　　もん／11もん

1 ――線のかん字の読みがなを書きましょう。

① 京都と東京。（　　）（　　）

② 黄色のチューリップ。（　　）

③ 古い山寺。（　　）（　　）

④ しずかな村里。（　　）

⑤ 黄金のありか。（　　）（　　）

⑥ 寺院の見学。（　　）

2 □に当てはまるかん字を書きましょう。

① □□（せんり）の道

② □□形（きょうにんぎょう）

③ たまごの□（き）身。

④ お□（てら）まいり

「せんりの道」は、とても遠い道のりのことだよ。

答え▼102ページ

31 ふくしゅうテスト④

せいかい
もん / 2… もん

1 ―線の かん字の 読みがなを 書きましょう。

① 公園で あそぶ。（　　）

② 遠足の 当日。（　　）

③ 合計を 出す。（　　）

④ 親切な 人。（　　）

⑤ 王様の 家来。（　　）

2 ―線の かん字の 読みがなを 書きましょう。

①
- 直前（　　）
- 直筆（　　）
- 直ちに（　　）
- 直す（　　）

②
- 旅行（　　）
- 行事（　　）
- 行き先（　　）
- 行う（　　）

3 □に 当(あ)てはまる かん字を 書(か)きましょう。

1 □(ちち) と □(はは)。

2 □(あね) と □(あに)。

3 □(おとうと) と □(いもうと)。

4 □(はる)・□(なつ)・□(あき)・□(ふゆ)

4 ——線(せん)の ことばを、かん字と ひらがなで 書きましょう。

1 しぜんに したしむ。（　　　）

2 つよがりを 言(い)う。（　　　）

3 風(かぜ)が よわまる。（　　　）

4 道(みち)が まじわる。（　　　）

答(こた)え▶102ページ

32 教・通・絵・紙

ながめて おぼえよう

教（11かく）

はねる　はらう

- おん：キョウ
- くん：おしえる、おそわる

通（10かく）

一かくでかく　はねる

- おん：ツウ（ツ）
- くん：とおる、とおす、かよう

絵（12かく）

つける　とめる

- おん：カイ、エ
- くん：—

紙（10かく）

はねる

- おん：シ
- くん：かみ

絵を かく ことは すきかな？

32 朝のテスト

せいかい　　もん ／ 10もん

1 ――線(せん)の　かん字の　読(よ)みがなを　書(か)きましょう。

① 絵画を　見る。（　　）

② おり紙を　おる。（　　）

③ 水泳(すいえい)教室(しつ)（　　）（　　）

④ 学校に　通う。（　　）

⑤ 本の　表紙(ひょう)。（　　）

⑥ 絵本を　読む。（　　）

2 □に　当(あ)てはまる　かん字を　書きましょう。

① 新聞□（しん　ぶん　し）

② □の具(ぐ)（え）

③ □育(いく)（きょう）

④ □り道(みち)（とお）

「教(おし)える・教(おそ)わる」の　読(よ)み方(かた)も　おぼえてね。

答(こた)え ▼ 102ページ

33

形・茶・室・記

ながめて おぼえよう

形（はらう・とめる）
7かく：一 二 テ 开 开 形 形
おん：ケイ　ギョウ
くん：かた　かたち

茶（とめる・あける）
9かく：一 十 廾 艹 艾 苎 苓 茶 茶
おん：チャ　(サ)
くん：—

室（立てる・はらう）
9かく：丶 丷 宀 宀 宀 宏 室 室 室
おん：シツ
くん：(むろ)

記（てん・はねる）
10かく：丶 亠 亠 言 言 言 言 言 訂 記
おん：キ
くん：しるす

月の 形は 毎日 少しずつ かわるね。

33 朝のテスト

せいかい　　もん／10もん

1 ――線の　かん字の　読みがなを　書きましょう。

① 正方形（　　）

② 日記を　書く。（　　）

③ 人形を　買う。（　　）

④ お茶を　のむ。（　　）

⑤ 教室で　学ぶ。（　　）

⑥ 星の　形。（　　）

2 □に　当てはまる　かん字を　書きましょう。

① ひし□（がた）

② □（き）ねんしゃしん

③ □（ちゃ）わん

④ □□□（り・か・しつ）

「日記」の「記」は、「記す」とも　読むよ。

答え▼102ページ

34 古・新・遠・近

ながめて おぼえよう

古（5かく）
おん：コ
くん：ふるい、ふるす
一 十 十 古 古

新（13かく）
おん：シン
くん：あたらしい、あらた、にい
丶 亠 ⺍ 立 立 辛 辛 辛 亲 新 新 新

遠（13かく）
おん：エン（オン）
くん：とおい
一 十 土 土 吉 吉 吉 吉 袁 袁 遠 遠 遠

近（7かく）
おん：キン
くん：ちかい
丿 厂 斤 斤 斤 䜣 近

家から　近い　ところ、遠い　ところを　考えて　みてね。

34 朝の テスト

せいかい　　もん ／ 10もん

1 ——線の かん字の 読みがなを 書きましょう。

① 中古の 車。（　　　）
② 新学期（　　　）
③ 遠出する（　　　）
④ 近道を 行く。（　　　）
⑤ 古着を 買う。（　　　）
⑥ 遠回りを する。（　　　）

2 □に 当てはまる かん字を 書きましょう。

① えん そく □□
② ふる ほん いち □□市
③ きん □ 所の 犬。
④ しん ねん □□ の あいさつ。

「ふるい↔あたらしい」「とおい↔ちかい」のように、組みに して おぼえよう。

答え ▼ 102ページ

35

市・場・店・道

ながめて おぼえよう

市

はねる

おん シ
くん いち

5かく
丶 亠 亠 方 市

場

はらう　はねる

おん ジョウ
くん ば

12かく
一 十 土 圵 圸 坦 坦 坦 場 場 場 場

店

はらう

おん テン
くん みせ

8かく
丶 亠 广 广 庀 庀 店 店

道

ながく　一かくでかく

おん ドウ（トウ）
くん みち

12かく
丶 丷 䒑 䒑 产 首 首 首 首 道 道 道

魚市場を　見学した　こと　あるかな？
とても　にぎやかだね。

35 朝の テスト

せいかい　　もん／10もん

1 ――線の かん字の 読みがなを 書きましょう。

① 入場行進（　　　）

② 市町村の だいひょう。（　　　）

③ 広い 道路。（　　　）

④ 店員に 聞く。（　　　）

⑤ 雨の 場合。（　　　）

⑥ 朝市に 行く。（　　　）

2 □に 当てはまる かん字を 書きましょう。

① うお いち ば □□□

② 集合 ば □ 所

③ しょ どう きょう しつ 書□□□

④ みせ ばん □□ を する。

「市場」は、「しじょう」とも 読むよ。

答え ▼ 103ページ

36

売・買・色・自

ながめて おぼえよう

売

7かく

みじかく　はねる

おん：バイ

くん：うる　うれる

買

12かく

とめる

おん：バイ

くん：かう

色

6かく

はねる　まげる

おん：ショク　シキ

くん：いろ

自

6かく

はらう

おん：シジ

くん：みずから

「売（う）り買（か）い」で、「売買（ばいばい）」だよ。

36 朝のテスト

せいかい　もん／10もん

1 ――線の　かん字の　読みがなを　書きましょう。

① えきの　売店。（　　）
② 自分で　きめる。（　　）
③ 売り場（　　）
④ 十二色の　クレヨン。（　　）
⑤ 買い物（　　）
⑥ 色紙に　サインする。（　　）

2 □に　当てはまる　かん字を　書きましょう。

① □□（いろ がみ）
② 土地の　□□（ばい ばい）。
③ □（じ）由の女神
④ 車の　□（う）り　□（か）い。

コンビニも「売店」だね。

答え▼103ページ

37 食・聞・帰・話

ながめて おぼえよう

食（つける・はらう）
9かく
くん：くう　たべる　（くらう）
おん：ショク　（ジキ）

聞（つき出さない・はねる）
14かく
くん：きく　きこえる
おん：ブン　（モン）

帰（はらう・はねる）
10かく
くん：かえる　かえす
おん：キ

話（てん・はらう）
13かく
くん：はなす　はなし
おん：ワ

夕食の　時間は　会話が　はずむね。

37 朝の テスト

せいかい　／13もん

1 ―線の かん字の 読みがなを 書きましょう。

① 朝食を（　　）（　　）食べる。（　　）
② 帰国する（　　）
③ 新聞を（　　）読む。（　　）
④ 話の（　　）聞き手。（　　）
⑤ 日帰り旅行（　　）
⑥ 話し声が（　　）聞こえる。（　　）

2 □に 当てはまる かん字を 書きましょう。

① □□（しゅ・わ）を ならう。
② きゅう□（しょく）
③ □（かえ）り道
④ 立ち□（ぎ）き

「はなす・きく」は、組みに して おぼえよう。

答え▶103ページ

38 ふくしゅうテスト⑤

せいかい　　もん／22もん

1 ――線の　かん字の　読みがなを　書きましょう。

① 室内で　あそぶ。（　　）

② 自ら　立ち向かう。（　　）
＊自ら…自分から。自分で。

③ 日づけを　記す。（　　）

④ 会話が　はずむ。（　　）

⑤ したくに　時間を　食う。（　　）

⑥ 茶色の　犬。（　　）

2 ――線の　かん字の　読みがなを　書きましょう。

①
- 教科（　　）
- 道を　教える。（　　）
- 勉強を　教わる。（　　）

②
- 図形を　かく。（　　）
- 人形を　作る。（　　）
- 形を　ととのえる。（　　）

3 □に当てはまるかん字を書きましょう。

1. □(う)り ⇕ □(か)い ＝ □□(ばいばい)
2. □(とお)い ⇕ □(ちか)い ＝ □□(えんきん)
3. □□□(えにっき)を　かく。
4. □□□(うおいちば)

4 ——線のことばを、かん字と　ひらがなで　書きましょう。

1. 虫の　音(ね)が　きこえる。（　　）
2. 友(とも)だちと　はなす。（　　）
3. あたらしい　くつを　はく。（　　）
4. 学校に　かよう。（　　）

答(こた)え▼103ページ

39

ながめて おぼえよう

歌・鳴・野・原

歌（とめる・はねる）
おん：カ
くん：うた、うたう
14かく：一 ㄒ 㔾 可 可 哥 哥 哥 哥 哥 哥 哥 歌 歌

鳴（ながく・はねる）
おん：メイ
くん：なく、なる、ならす
14かく：丨 ㄇ 口 口' 口' 叩 叩 咱 咱 鳴 鳴 鳴 鳴 鳴

野（はらう・はねる）
おん：ヤ
くん：の
11かく：丨 ㄇ 日 日 甲 甲 里 里 野 野 野

原（はねる）
おん：ゲン
くん：はら
10かく：一 厂 厂 厂 厉 厉 盾 原 原 原

秋の 野原は 楽(たの)しそうだね。

39 朝のテスト

せいかい　　もん ／ 11もん

1 ——線の かん字の 読みがなを 書きましょう。

① 野鳥（　）を 見る。

② 高原（　）の 花。

③ 校歌（　）を 歌（　）う。

④ 悲鳴（　）が 聞（　）こえる。

⑤ 野原（　）を 走（　）る。

⑥ 犬の 鳴（　）き声。

2 □に 当てはまる かん字を 書きましょう。

① 鼻□（うた）

② □（や）球

③ □（はら）つぱ

④ 海□（な）り

「悲鳴」は、こわくて 「キャー」って さけぶ 声だよ。

答え▼103ページ

40 汽・谷・走・黒

ながめて おぼえよう

汽
やや みじかく / はねる

おん: キ
くん: ―

7 かく: 、 、 氵 氵 氵 汽 汽

谷
あける / つける

おん: (コク)
くん: たに

7 かく: ノ ハ 𠆢 グ 谷 谷 谷

走
つける / はらう

おん: ソウ
くん: はしる

7 かく: 一 十 土 キ 卡 赤 走

黒
ながく

おん: コク
くん: くろ / くろい

11 かく: 丨 冂 冂 日 甲 甲 里 里 黒 黒 黒

じょう気きかん車に のった こと あるかな？

40 朝の テスト

せいかい　もん／11もん

1 ――線の かん字の 読みがなを 書きましょう。

① 黒板に 書く。（　　）
② 夜汽車が 走る。（　　）（　　）
③ 黒こげの 魚。（　　）
④ 山と 谷。（　　）
⑤ 汽船の 出港。（　　）
⑥ 車の 走行きょり。（　　）

2 □に 当てはまる かん字を 書きましょう。

① □□（たにがわ）
② 真っ □（くろ） の ねこ。
③ □（き） 笛が 鳴る。
④ 百メートルきょう □（そう）

「汽船」は、じょう気などの 力で うごく 大がたの 船だよ。

答え ▼ 103ページ

41 首・雲・雪・風

ながめて おぼえよう

首
なかく ／ ななめに
おん: シュ
くん: くび
9かく

雲
上よりながく ／ とめる
おん: ウン
くん: くも
12かく

雪
はらう ／ つき出さない
おん: セツ
くん: ゆき
11かく

風
つき出さない ／ はねる
おん: フウ（フ）
くん: かぜ　かざ
9かく

冬(ふゆ)の さむい 日は、マフラーが ひつようだね。

41 朝のテスト

せいかい　もん／10もん

1 ——線のかん字の読みがなを書きましょう。

① 夏の入道雲。（　　）

② 雲海を見下ろす。（　　）

③ はつ雪がふる。（　　）

④ ひどい風雪。（　　）

⑤ 台風が来る。（　　）

⑥ 首都の東京。（　　）

2 □に当てはまるかん字を書きましょう。

① あまぐも □□

② 赤い ふうせん □船。

③ ゆきやま □□

④ そよ かぜ □ がふく。

「雲海」は、海のように広がって見える「雲」だよ。

答え▼103ページ

42 回・池・岩・歩

ながめて おぼえよう

回（さいごにかく）
おん：カイ（エ）
くん：まわる　まわす
6かく：丨冂冂冋回回

池（はねる）
おん：チ
くん：いけ
6かく：丶氵氵汋汋池

岩（つける・はらう）
おん：ガン
くん：いわ
8かく：丨山山屵岸岩岩岩

歩（つける・はねる）
おん：ホ（ブ）（フ）
くん：あるく　あゆむ
8かく：丨卜止止牛步歩歩

さん歩（ぽ）すると　いろんな　ものが　見られるね。

42 朝の テスト

せいかい　　もん ／ 11もん

1 ─線(せん)の かん字の 読(よ)みがなを 書(か)きましょう。

① ダムの ちょ水池。（　　）

② 岩石を くだく。（　　）

③ 回数を 数(かぞ)える。（　　）

④ 岩場の かに。（　　）

⑤ 池の こい。（　　）

⑥ 歩道を 歩く。（　　）（　　）

2 □に 当(あ)てはまる かん字を 書きましょう。

① □□□（か ざん がん）

② □（まわ）り道(みち)

③ 電□（でん ち）

④ □□（ほ こう）者(しゃ)

「ちょ水池」は、水を ためて おく 池の ことだよ。

答(こた)え ▼ 103ページ

43

読・書・答・電

ながめて おぼえよう

読（14かく） みじかく／はねる
おん：ドク　トク　トウ
くん：よむ
書きじゅん：読

書（10かく） つき出す
おん：ショ
くん：かく
書きじゅん：書

答（12かく） はらう
おん：トウ
くん：こたえる　こたえ
書きじゅん：答

電（13かく） はねる／つき出さない
おん：デン
くん：—
書きじゅん：電

読書は　すきかな？　たくさん　本を　読んでね。

43 朝の テスト

せいかい　　もん／11もん

1 ——線の かん字の 読みがなを 書きましょう。

① 電池の（　　）　交かん。（　　）
② アンケートの 回答。（　　）
③ 読書の（　　）　時間。
④ 電車に（　　）　のる。
⑤ 答あんを（　　）　出す。
⑥ 読み書きを（　　）（　　）　教わる。

2 □に 当てはまる かん字を 書きましょう。

① □□（こた）え合わせ
② けいたい □□（でん）（わ）
③ □□（と）（しょ）館
④ □□（おん）（どく）する

「回答」は、しつもんに こたえる ことだよ。

答え▶103ページ

44 晴・毛・頭・顔

ながめて おぼえよう

晴
（はねる・とめる）
おん：セイ
くん：はれる　はらす
12かく：丨 ⺆ 日 日 日一 日十 日丰 日丰 日青 晴 晴 晴

毛
（はねる・ながく）
おん：モウ
くん：け
4かく：丿 二 三 毛

頭
（はらう・とめる）
おん：トウ　ズ　（ト）
くん：あたま　（かしら）
16かく：一 丆 戸 豆 豆 豆 豆 豆 豆一 豆丆 頭 頭 頭 頭 頭 頭

顔
（とめる）
おん：ガン
くん：かお
18かく：丶 亠 ナ 立 产 产 彦 彦 彦 彦一 彦丆 顔 顔 顔 顔 顔 顔 顔

朝（あさ）の したくは、はやく できるかな？

44 朝の テスト

せいかい　もん／10もん

1 ――線の かん字の 読みがなを 書きましょう。

① 晴天の 空。（　　）

② 毛ふを かける。（　　）

③ 顔面を ぶつける。（　　）

④ 二頭の ライオン。（　　）

⑤ 晴れ間が 出る。（　　）

⑥ 毛糸を あむ。（　　）

2 □に 当てはまる かん字を 書きましょう。

① □□（けむし）

② □□（あきば）れ

③ 横□（よこがお）

④ □（あたま）が いたい。

「顔」と「頭」の 右半分は 同じ 形だね。

答え ▼ 104ページ

45 地・海・船・星

ながめて おぼえよう

地（ながくつき出す・はねる）
おん：ジチ
くん：—
6かく：一 十 土 扌 地 地

海（とめる・はねる）
おん：カイ
くん：うみ
9かく：丶 丶 氵 氵 氵 汇 海 海 海

船（あける・はらう）
おん：セン
くん：ふね ふな
11かく：丿 丿 力 月 月 舟 舟 舟 舟 船 船

星（つける）
おん：セイ（ショウ）
くん：ほし
9かく：丨 冂 日 日 尸 旦 旱 早 星

うちゅう旅行(りょこう) 行(い)って みたいね。

朝の テスト

せいかい　　もん ／ 11もん

1 ——線（せん）の かん字の 読（よ）みがなを 書（か）きましょう。

1. 地球（ちきゅう）の 生物（せいぶつ）。（　）（　）
2. 海外旅行（りょこう）（　）
3. 船の 船長。（　）（　）
4. 星ざで うらなう。（　）
5. 海べで あそぶ。（　）
6. 流（なが）れ星を 見る。（　）

2 □に 当（あ）てはまる かん字を 書きましょう。

1. ［じ］面（めん）
2. ［かい］［すい］よく
3. ［ふな］旅（たび）
4. ［いち］［ばん］［ぼし］

「地」と「池」は、同（おな）じ 読（よ）み方（かた）が あって、形（かたち）も にて いるから ちゅういだよ。

答（こた）え ▼ 104ページ

46 ふくしゅうテスト⑥

せいかい　もん／23もん

1 ——線（せん）の　かん字の　読みがなを　書（か）きましょう。

① 風雨が　強（つよ）まる。（　　）

② 新雪が　つもる。（　　）

③ 谷間の　白ゆり。（　　）

④ うちゅうの　星雲。（　　）

⑤ 野生の　おおかみ。（　　）

⑥ 原いんが　わかる。（　　）

2 ——線の　かん字の　読みがなを　書きましょう。

①
- 音読（　　）
- 読本（　　）
- 読点（　　）
- 読み物（もの）（　　）

＊「読本」は、やさしく書いた　本。

②
- 店頭（　　）
- 頭上（　　）
- 頭の　上。（　　）

3 □に 当(あ)てはまる かん字を 書(か)きましょう。

1 □(ある)いたり、□(はし)ったりする。

2 □□□(としょしつ)で、□□(どくしょ)する。

3 □□(ふうせん)

4 □□(ちか)鉄(てつ)

4 ――線(せん)の ことばを、かん字と ひらがなで 書きましょう。

1 クイズに こたえる。（　　）

2 ラッパを ならす。（　　）

3 大きな 声(こえ)で うたう。（　　）

4 こまを まわす。（　　）

答(こた)え ▼ 104ページ

47 まとめテスト①

せいかい　／2　もん

1 ―線の　かん字の　読みがなを　書きましょう。

① 晴れ　後　くもり。（　　）
後から　行く。（　　）

② 竹細工（　　）
紙の　工作。（　　）

2 赤い　画は、何画目に　書きますか。
かん字の　数字で　書きましょう。

① 止（　　）　② 友（　　）
③ 馬（　　）　④ 鳥（　　）

3 なかまの　かん字を　書きましょう。

①〈体の　部分〉
あたま □ ― け □ ― かお □ ― くび □

②〈一日の　時間〉
あさ □ ― ひる □ ― よる □

4

□に 同じ 読み方を する かん字を 書きましょう。

①
人に □(あ)う。
気が □(あ)う。

②
夜が □(あ)ける。
せきを □(あ)ける。

③
電□(ち)
広い 土□(ち)。

④
□(り)由を 話す。
千□(り)の 道。

5

――線の はんたいの いみの ことばを、かん字と ひらがなで 書きましょう。

① 天じょうが ひくい。 ⇕ (　　)
② かみの毛が みじかい。 ⇕ (　　)
③ へやが せまい。 ⇕ (　　)
④ くらい 道。 ⇕ (　　)

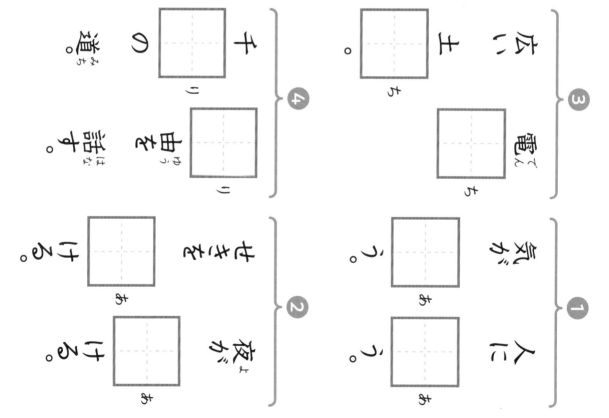

答え ▼ 104ページ

48 まとめテスト②

せいかい　もん／24もん

1 ——線の　かん字の　読みがなを　書きましょう。

① 今月の　半ば。（　　）

② 日記を　記す。（　　）

③ 自ら　取り組む。（　　）

④ ようそうが　外れる。（　　）

2 つぎの　かん字は、何画で　書きますか。かん字の　数字で　書きましょう。

① 弓（　　）　② 紙（　　）

③ 毎（　　）　④ 通（　　）

3 四つの　かん字で　できた　ことばを　書きましょう。

① 〈きせつ〉

しゅん　か　しゅう　とう

② 〈方角〉

とう　ざい　なん　ぼく

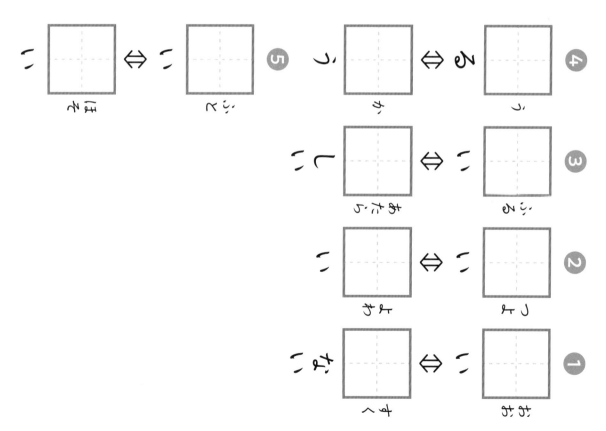

4 はんたいの　いみの　ことばを、かん字で　書(か)きましょう。

① □(おお)い ⇔ □(すく)ない

② □(つよ)い ⇔ □(よわ)い

③ □(ふる)い ⇔ □(あたら)しい

④ □(う)る ⇔ □(か)う

⑤ □(ふと)い ⇔ □(ほそ)い

5 ――線(せん)の　ことばを、かん字と　ひらがなで　書きましょう。

① 絵(え)の具(ぐ)を　<u>もちいる</u>。　（　　　）

② <u>こまかい</u>　もよう。　（　　　）

③ 自分(じぶん)で　<u>かんがえる</u>。　（　　　）

④ まつりを　<u>おこなう</u>。　（　　　）

答(こた)え ▼ 104ページ

答えとアドバイス

おうちの方へ
▼まちがえた問題は、もう一度やり直しましょう。
▼アドバイスを読んで、学習に役立てましょう。

1 才・心・光・同　4ページ

1 ①さい　②こころ
③ひかり　④おな
⑤てんさい　⑥しん

2 ①同　②心当　③同　④光地

2 刀・弓・矢・台　6ページ

1 ①かたな　②ゆみ　③や
④たい　⑤めいとう
⑥さんだい

2 ①弓矢　②小刀　③土台　④台

アドバイス 2 ① 「弓」は筆順に注意しましょう。「㇕→コ→弓」の順に、三画で書きます。

3 門・戸・用・何　8ページ

1 ①と　②もん　③なん
④ようじん　⑤もちち　⑥いっこ

2 ①門家　②雨戸　③画用紙
④何

4 万・方・元・友　10ページ

1 ①いちまんえん　②とも
③げんき　④ほう　⑤ゆう
⑥もと

2 ①百万円　②方角
③地元・友人

アドバイス 2 ① ② 「万」と「方」は、形が似ているので、しっかり区別して覚えましょう。また、筆順にも注意しましょう。「万」は、「一→ㄱ→万」の順に三画で、「方」は、「丶→亠→亐→方」の順に四画で書きます。

5 多・少・太・細　12ページ

1 ①しょうねん　②たい　③おお
④すく　⑤ほそ　⑥ふと

2 ①細道　②丸太　③細　④多少

アドバイス 1 ⑤ 2 ③ 「細い」と「細かい」という二つの訓読みは、送り仮名の違いにも注意しましょう。

6 外・内・前・後　14ページ

1 ①うち・そと　②がい
③ぜんご　④あと
⑤まえ　⑥ほか

2 ①町外　②内　③外国人　④後

7 東・西・南・北　16ページ

1 ①ひがし　②にし　③みなみ
④きた　⑤とうほく
⑥なんぼく

2 ①東京　②西　③南国
④東西南北

8 ふくしゅうテスト① 17～18ページ

1 ①とうざい ②なんぼく ③ゆう ④ちゅうしん ⑤ゆみや・だい ⑥おな・ほう

2 ①げんき・がんじつ・あしもと ②がい・そと・まちはず・ほか

3 ①北・南 ②東・西 ③細・太 ④少・多 ⑤前・後 ⑥内・外

4 ①光る ②用いる ③細かい ④同じ

アドバイス **4** ①「(星が) 光る」は、「星の光」のように物の名前を表すときは漢字一字で「ひかり」と読みます。②送り仮名を「用る」と間違えやすいので注意しましょう。

9 知・合・思・考 20ページ

1 ①ち ②し ③あ ④ごう ⑤かんが・おも ⑥しこうりょく

2 ①知・合 ②合 ③考書 ④思

10 切・引・止・言 22ページ

1 ①ちゅうし ②こと ③ひ ④き ⑤いん ⑥たいせつ

2 ①口止 ②言 ③親切 ④引・算

11 米・麦・肉・魚 24ページ

1 ①こむぎ ②まい ③にく ④ざかな ⑤べい ⑥ぎょ

2 ①麦 ②肉 ③金魚 ④米

アドバイス 「肉」は「内」と形が似ているので注意しましょう。

12 牛・馬・鳥・羽 26ページ

1 ①とり ②うま ③うし ④はね ⑤ぎゅう ⑥ばしゃ

2 ①牛 ②羽子 ③野鳥 ④馬

13 時・間・分・半 28ページ

1 ①じ ②なか ③じ・ぷん ④はんぶん・わ ⑤あいだ

2 ①空間 ②一時 ③六時半 ④水分

14 午・毎・曜・週 30ページ

1 ①ごぜんちゅう ②しょうご ③しゅう ④まいしゅう・どようび ⑤ごご ⑥せんしゅう

2 ①日曜日 ②午前 ③午後 ④一週間

アドバイス 「午」は「牛」と形が似ているので注意しましょう。

15 今・朝・昼・夜 32ページ

1 ①よる ②そうちょう ③あさ ④ちゅう ⑤こんや ⑥いま

2 ①朝日 ②昼 ③今週 ④十五夜

16 ふくしゅうテスト② 33～34ページ

1 ①いんりょく ②にく ③むぎ ④こうし ⑤や ⑥こと

2 ①じかん・にんげん・あいだ・ま ②はんぶん・にふん・ぶ・わ

3 ①止 ②大切 ③馬力 ④毎回 ⑤金曜日・午後

4 ①思う ②考える ③半ば ④分かれる

17 広・明・長・高 36ページ

1 ①ひろ ②たか ③なが ④あか ⑤ちょう ⑥めい

2 ①校長先生 ②広場 ③高台 ④明

18 国・語・算・数 38ページ

1 ①こくご ②さんすう ③ぐに ④ご ⑤さん ⑥にんずう・かぞ

2 ①語 ②外国 ③算 ④数字

アドバイス 2 ②「国」の囲みの中の「玉」を「王」と書かないように注意しましょう。

19 理・科・社・会 40ページ

1 ①かがく ②り ③かいしゃ・しゃちょう ④あ ⑤り ⑥ないか

2 ①教科書 ②理 ③新聞社 ④会場

20 図・画・工・作 42ページ

1 ①ずがこうさく ②あいず ③がよう ④こう ⑤てづく ⑥く

2 ①図書 ②計画 ③作文 ④大工

21 体・活・楽・声 44ページ

1 ①たい ②からだ ③たの ④こえ ⑤かつ ⑥せい

2 ①音楽 ②生活科 ③楽園 ④体

22 丸・角・点・線 46ページ

1 ①ひゃくてん ②さんかく（さんかっ） ③せん ④まる ⑤かど ⑥がん

2 ①町角（街角） ②丸顔 ③電線 ④同点

アドバイス 2 ①「角」の下の部分を「用」と書かないように注意しましょう。

23 ふくしゅうテスト③ 47～48ページ

1 ①かた ②てづく ③ないか ④たいかい ⑤じんこう ⑥てんせん

2 ①めい・みょうごにち・よあ ②さんかく・まちかど・つの

3 ①国語 ②算数 ③図画工作 ④音楽 ⑤生活科 ⑥体

4 ①広まる ②数える ③高まる ④楽しい ⑤明るい

アドバイス 3 ⑥「体育」は「たいく」と読み間違えないように注意しましょう。正しくは「たいいく」です。

24 当・直・計・組 50ページ

1 ①ほんとう ②ごうけい ③なお ④く ⑤てあ ⑥にっちょく

2 ①当番 ②計 ③正直 ④番組

25 父・母・家・親 52ページ

1 ①ちちおや ②ぼ ③さっか ④した ⑤いえ ⑥しん

2 ①父 ②母 ③家 ④親切

26 兄・姉・弟・妹 54ページ

1 ①きょうだい ②あね ③あに ④いもうと・おも・あね ⑤おとうと ⑥あに

2 ①弟・妹 ②兄弟 ③兄・姉

アドバイス 1④「妹」の読みがなを「いもおと」と書かないように注意しましょう。

27 春・夏・秋・冬 56ページ

1 ①しゅんぶん ②なつやす ③ふゆやま ④しゅうぶん ⑤とう ⑥はる

2 ①春夏秋冬 ②春・夏・秋・冬

28 行・来・強・弱 58ページ

1 ①ぎょう ②きょうじゃく ③らいげつ ④つよき ⑤よわね ⑥く

2 ①強 ②弱気 ③行 ④来日

29 公・園・交・番 60ページ

1 ①こうばん ②こうえん ③えん ④こう ⑤ばん ⑥まじ

2 ①交通 ②当番 ③園 ④人公

30 寺・里・京・黄 62ページ

1 ①きょう・とうきょう ②き ③やまでら ④むらざと ⑤おうごん ⑥じ

2 ①千里 ②京人形 ③黄 ④寺

31 ふくしゅうテスト④ 63~64ページ

1 ①こうえん ②とうじつ ③ごうけい ④しんせつ ⑤けらい

2 ①ちょくぜん・じき・ただ・なお ②こう・ぎょう・い（ゆ）・おこな

3 ①父・母 ②姉・兄 ③弟・妹 ④春・夏・秋・冬

4 ①親しむ ②強がり ③弱まる ④交わる

アドバイス 2②「行う」は送り仮名に注意しながら読みを覚えましょう。

32 教・通・絵・紙 66ページ

1 ①かいが ②がみ ③きょう ④かよ ⑤し ⑥えほん

2 ①新聞紙 ②絵 ③教 ④通

33 形・茶・室・記 68ページ

1 ①せいほうけい ②にっき ③にんぎょう ④ちゃ ⑤きょうしつ ⑥かたち

2 ①形 ②記 ③茶 ④理科室

34 古・新・遠・近 70ページ

1 ①ちゅうこ ②しん ③とおで ④ちか ⑤ふる ⑥とお

2 ①遠足 ②古本市 ③近 ④新年

アドバイス 「新」は「親」と形が似ているので注意しましょう。

35 市・場・店・道 72ページ

1 ①にゅうじょう ②しちょうそん ③どう ④てん ⑤ばあい ⑥あさいち

2 ①魚市場 ②場 ③書道教室 ④店番

アドバイス 2① 「市場」（いちば）は、「株式市場」などお金を扱う場所を表す場合は「しじょう」と読みます。

36 売・買・色・自 74ページ

1 ①ばいてん ②じぶん ③う ④しょく ⑤か ⑥しきし

2 ①色紙 ②売買 ③自 ④売・買

アドバイス 2② 「売買」の「売」と「買」は、音読みが同じ「バイ」で混乱しますが、意味は反対です。

37 食・聞・帰・話 76ページ

1 ①ちょうしょく・た ②きこく ③しんぶん ④はなし・き ⑤ひがえ ⑥はな・き

2 ①手話 ②食 ③帰 ④聞

38 ふくしゅうテスト⑤ 77～78ページ

1 ①しつない ②みずか ③しる ④かいわ ⑤く ⑥ちゃいろ

2 ①きょうか・おし・おそ ②ずけい・にんぎょう・かたち

3 ①売・買・売買 ②遠・近・遠近 ③絵日記 ④魚市場

4 ①聞こえる ②話す ③新しい ④通う

39 歌・鳴・野・原 80ページ

1 ①やちょう ②こうげん ③こうか・うた ④めい ⑤のはら ⑥な

2 ①歌 ②野 ③原 ④鳴

40 汽・谷・走・黒 82ページ

1 ①こく ②よぎしゃ・はし ③くろ ④たに ⑤き ⑥そうこう

2 ①谷川 ②黒 ③汽 ④走

41 首・雲・雪・風 84ページ

1 ①にゅうどうぐも ②うん ③ゆき ④ふうせつ ⑤たいふう ⑥しゅ

2 ①雨雲 ②風船 ③雪山 ④風

42 回・池・岩・歩 86ページ

1 ①ち ②がんせき ③かいすう ④いわば ⑤いけ ⑥ほどう・ある

2 ①火山岩 ②回 ③電池 ④歩行

43 読・書・答・電 88ページ

1 ①でんち ②かいとう ③どくしょ ④でんしゃ ⑤とう ⑥よ・か

2 ①答 ②電話 ③図書 ④音読

アドバイス 1② 「回答」は「質問に答えること」です。「問題を解いて答える」意味の「解答」との違いに注意しましょう。

44 晴・毛・頭・顔 90ページ

1 ①せいてん ②もう ③がん ④にとう ⑤は ⑥けいと

2 ①毛虫 ②秋晴 ③顔 ④頭

45 地・海・船・星 92ページ

1 ①ち ②かいがい ③ふね・せんちょう ④せい ⑤うみ ⑥ぼし

2 ①地 ②海水 ③船 ④一番星

アドバイス 「地」は「池」と形が似ているので注意しましょう。

46 ふくしゅうテスト⑥ 93〜94ページ

1 ①ふうう ②しんせつ ③たにま ④せいうん ⑤やせい ⑥げん

2 ①おんどく・とくほん・とうてん・よ ②てんとう・ずじょう・あたま

3 ①歩・走 ②図書室・読書 ③風船 ④地下

4 ①答える ②鳴らす ③歌う ④回す

47 まとめテスト① 95〜96ページ

1 ①のち・あと ②たけざいく・こうさく

2 ①二 ②二 ③一 ④七

3 ①頭・毛・顔・首 ②朝・昼・夜

4 ①会・合 ②明・空 ③池・地 ④理・里

5 ①高い ②長い ③広い ④明るい

48 まとめテスト② 97〜98ページ

1 ①なか ②しる ③みずか ④はず

2 ①三 ②十 ③六 ④十

3 ①春夏秋冬 ②東西南北

4 ①多・少 ②強・弱 ③古・新 ④売・買 ⑤太・細

5 ①用いる ②細かい ③考える ④行う